This planner belongs to:

_____

_____

_____

Thank yo so much for choosing our planners!
Your voice really matters,
so please don't hesitate to leave us a rating or review.

massy
planners

2022 Calendar

January

S	M	T	W	T	F	S
						1
2	3	4	5	6	7	8
9	10	11	12	13	14	15
16	17	18	19	20	21	22
23	24	25	26	27	28	29
30	31					

February

S	M	T	W	T	F	S
		1	2	3	4	5
6	7	8	9	10	11	12
13	14	15	16	17	18	19
20	21	22	23	24	25	26
27	28					

March

S	M	T	W	T	F	S
		1	2	3	4	5
6	7	8	9	10	11	12
13	14	15	16	17	18	19
20	21	22	23	24	25	26
27	28	29	30	31		

April

S	M	T	W	T	F	S
					1	2
3	4	5	6	7	8	9
10	11	12	13	14	15	16
17	18	19	20	21	22	23
24	25	26	27	28	29	30

May

S	M	T	W	T	F	S
1	2	3	4	5	6	7
8	9	10	11	12	13	14
15	16	17	18	19	20	21
22	23	24	25	26	27	28
29	30	31				

June

S	M	T	W	T	F	S
			1	2	3	4
5	6	7	8	9	10	11
12	13	14	15	16	17	18
19	20	21	22	23	24	25
26	27	28	29	30		

July

S	M	T	W	T	F	S
					1	2
3	4	5	6	7	8	9
10	11	12	13	14	15	16
17	18	19	20	21	22	23
24	25	26	27	28	29	30
31						

August

S	M	T	W	T	F	S
	1	2	3	4	5	6
7	8	9	10	11	12	13
14	15	16	17	18	19	20
21	22	23	24	25	26	27
28	29	30	31			

September

S	M	T	W	T	F	S
				1	2	3
4	5	6	7	8	9	10
11	12	13	14	15	16	17
18	19	20	21	22	23	24
25	26	27	28	29	30	

October

S	M	T	W	T	F	S
						1
2	3	4	5	6	7	8
9	10	11	12	13	14	15
16	17	18	19	20	21	22
23	24	25	26	27	28	29
30	31					

November

S	M	T	W	T	F	S
		1	2	3	4	5
6	7	8	9	10	11	12
13	14	15	16	17	18	19
20	21	22	23	24	25	26
27	28	29	30			

December

S	M	T	W	T	F	S
				1	2	3
4	5	6	7	8	9	10
11	12	13	14	15	16	17
18	19	20	21	22	23	24
25	26	27	28	29	30	31

Important Dates

January
_____
_____
_____
_____

February
_____
_____
_____
_____

March
_____
_____
_____
_____

April
_____
_____
_____
_____

May
_____
_____
_____
_____

June
_____
_____
_____
_____

July
_____
_____
_____
_____

August
_____
_____
_____
_____

September
_____
_____
_____
_____

October
_____
_____
_____
_____

November
_____
_____
_____
_____

December
_____
_____
_____
_____

★ Birthdays ★

January	February	March
April	May	June
July	August	September
October	November	December

2022 Projects / Goals / Notes

_____

_____

_____

_____

_____

_____

_____

_____

_____

_____

_____

_____

_____

_____

_____

_____

_____

_____

_____

_____

_____

_____

_____

_____

_____

_____

_____

_____

_____

January 2022

SUNDAY	MONDAY	TUESDAY	WEDNESDAY	THURSDAY
30	31	◯	◯	◯
2	3	4	5	6
9	10	11	12	13
16	17	18	19	20
23	24	25	26	27

2022

FRIDAY	SATURDAY
◯	①
⑦	⑧
⑭	⑮
㉑	㉒
㉘	㉙

January

SU	MO	TU	WE	TH	FR	SA
						1
2	3	4	5	6	7	8
9	10	11	12	13	14	15
16	17	18	19	20	21	22
23	24	25	26	27	28	29
30	31					

Goals / To Do

- ◯ _____
- ◯ _____
- ◯ _____
- ◯ _____
- ◯ _____
- ◯ _____
- ◯ _____
- ◯ _____
- ◯ _____
- ◯ _____
- ◯ _____

Notes

_____
_____
_____
_____
_____
_____
_____
_____
_____

February 2022

SUNDAY	MONDAY	TUESDAY	WEDNESDAY	THURSDAY
◯	◯	1	2	3
6	7	8	9	10
13	14	15	16	17
20	21	22	23	24
27	28	◯	◯	◯

2022

	SU	MO	TU	WE	TH	FR	SA
			1	2	3	4	5
	6	7	8	9	10	11	12
	13	14	15	16	17	18	19
	20	21	22	23	24	25	26
	27	28					

FRIDAY	SATURDAY
4	5
11	12
18	19
25	26
◯	◯

Goals / To Do

◯ _____
◯ _____
◯ _____
◯ _____
◯ _____
◯ _____
◯ _____
◯ _____
◯ _____
◯ _____
◯ _____

Notes

_____
_____
_____
_____
_____
_____
_____
_____
_____
_____

March 2022

SUNDAY	MONDAY	TUESDAY	WEDNESDAY	THURSDAY
		1	2	3
6	7	8	9	10
13	14	15	16	17
20	21	22	23	24
27	28	29	30	31

2022

March

SU	MO	TU	WE	TH	FR	SA
		1	2	3	4	5
6	7	8	9	10	11	12
13	14	15	16	17	18	19
20	21	22	23	24	25	26
27	28	29	30	31		

FRIDAY	SATURDAY
4	5
11	12
18	19
25	26
◯	◯

Goals / To Do

- ◯ _____
- ◯ _____
- ◯ _____
- ◯ _____
- ◯ _____
- ◯ _____
- ◯ _____
- ◯ _____
- ◯ _____
- ◯ _____
- ◯ _____

Notes

_____
_____
_____
_____
_____
_____
_____
_____
_____
_____

April 2022

SUNDAY	MONDAY	TUESDAY	WEDNESDAY	THURSDAY
○	○	○	○	○
3	4	5	6	7
10	11	12	13	14
17	18	19	20	21
24	25	26	27	28

2022

FRIDAY	SATURDAY
(1)	(2)
(8)	(9)
(15)	(16)
(22)	(23)
(29)	(30)

SU	MO	TU	WE	TH	FR	SA
					1	2
3	4	5	6	7	8	9
10	11	12	13	14	15	16
17	18	19	20	21	22	23
24	25	26	27	28	29	30

Goals / To Do

○ _____
○ _____
○ _____
○ _____
○ _____
○ _____
○ _____
○ _____
○ _____
○ _____
○ _____

Notes

_____
_____
_____
_____
_____
_____
_____
_____
_____
_____

May 2022

SUNDAY	MONDAY	TUESDAY	WEDNESDAY	THURSDAY
1	2	3	4	5
8	9	10	11	12
15	16	17	18	19
22	23	24	25	26
29	30	31		

2022

SU	MO	TU	WE	TH	FR	SA
1	2	3	4	5	6	7
8	9	10	11	12	13	14
15	16	17	18	19	20	21
22	23	24	25	26	27	28
29	30	31				

FRIDAY	SATURDAY
6	7
13	14
20	21
27	28
◯	◯

Goals / To Do

- ◯ _____
- ◯ _____
- ◯ _____
- ◯ _____
- ◯ _____
- ◯ _____
- ◯ _____
- ◯ _____
- ◯ _____
- ◯ _____
- ◯ _____

Notes

_____
_____
_____
_____
_____
_____
_____
_____
_____
_____

June 2022

SUNDAY	MONDAY	TUESDAY	WEDNESDAY	THURSDAY
○	○	○	1	2
5	6	7	8	9
12	13	14	15	16
19	20	21	22	23
26	27	28	29	30

2022

June

SU	MO	TU	WE	TH	FR	SA
			1	2	3	4
5	6	7	8	9	10	11
12	13	14	15	16	17	18
19	20	21	22	23	24	25
26	27	28	29	30		

FRIDAY	SATURDAY
3	4
10	11
17	18
24	25
◯	◯

Goals / To Do

◯ _____
◯ _____
◯ _____
◯ _____
◯ _____
◯ _____
◯ _____
◯ _____
◯ _____
◯ _____
◯ _____

Notes

_____
_____
_____
_____
_____
_____
_____
_____
_____
_____

July 2022

SUNDAY	MONDAY	TUESDAY	WEDNESDAY	THURSDAY
31				
3	4	5	6	7
10	11	12	13	14
17	18	19	20	21
24	25	26	27	28

2022

FRIDAY	SATURDAY
1	2
8	9
15	16
22	23
29	30

July

Goals / To Do

○ _____
○ _____
○ _____
○ _____
○ _____
○ _____
○ _____
○ _____
○ _____
○ _____
○ _____

Notes

_____
_____
_____
_____
_____
_____
_____
_____
_____
_____

August 2022

SUNDAY	MONDAY	TUESDAY	WEDNESDAY	THURSDAY
◯	1	2	3	4
7	8	9	10	11
14	15	16	17	18
21	22	23	24	25
28	29	30	31	◯

2022

August

SU	MO	TU	WE	TH	FR	SA
	1	2	3	4	5	6
7	8	9	10	11	12	13
14	15	16	17	18	19	20
21	22	23	24	25	26	27
28	29	30	31			

FRIDAY	SATURDAY
5	6
12	13
19	20
26	27
◯	◯

Goals / To Do

◯ _____
◯ _____
◯ _____
◯ _____
◯ _____
◯ _____
◯ _____
◯ _____
◯ _____
◯ _____
◯ _____

Notes

_____
_____
_____
_____
_____
_____
_____
_____
_____

September 2022

SUNDAY	MONDAY	TUESDAY	WEDNESDAY	THURSDAY
◯	◯	◯	◯	1
4	5	6	7	8
11	12	13	14	15
18	19	20	21	22
25	26	27	28	29

2022

	SU	MO	TU	WE	TH	FR	SA
					1	2	3
	4	5	6	7	8	9	10
	11	12	13	14	15	16	17
	18	19	20	21	22	23	24
	25	26	27	28	29	30	

FRIDAY	SATURDAY
2	3
9	10
16	17
23	24
30	

Goals / To Do

○ _____
○ _____
○ _____
○ _____
○ _____
○ _____
○ _____
○ _____
○ _____
○ _____
○ _____

Notes

_____
_____
_____
_____
_____
_____
_____
_____
_____

October 2022

SUNDAY	MONDAY	TUESDAY	WEDNESDAY	THURSDAY
30	31	◯	◯	◯
2	3	4	5	6
9	10	11	12	13
16	17	18	19	20
23	24	25	26	27

2022

FRIDAY	SATURDAY
○	1
7	8
14	15
21	22
28	29

October

SU	MO	TU	WE	TH	FR	SA
						1
2	3	4	5	6	7	8
9	10	11	12	13	14	15
16	17	18	19	20	21	22
23	24	25	26	27	28	29
30	31					

Goals / To Do

- ○ _____
- ○ _____
- ○ _____
- ○ _____
- ○ _____
- ○ _____
- ○ _____
- ○ _____
- ○ _____
- ○ _____
- ○ _____

Notes

_____
_____
_____
_____
_____
_____
_____
_____
_____
_____

November 2022

SUNDAY	MONDAY	TUESDAY	WEDNESDAY	THURSDAY
○	○	1	2	3
6	7	8	9	10
13	14	15	16	17
20	21	22	23	24
27	28	29	30	○

2022

November

SU	MO	TU	WE	TH	FR	SA
		1	2	3	4	5
6	7	8	9	10	11	12
13	14	15	16	17	18	19
20	21	22	23	24	25	26
27	28	29	30			

FRIDAY	SATURDAY
4	5
11	12
18	19
25	26
◯	◯

Goals / To Do

- ◯ _____
- ◯ _____
- ◯ _____
- ◯ _____
- ◯ _____
- ◯ _____
- ◯ _____
- ◯ _____
- ◯ _____
- ◯ _____
- ◯ _____

Notes

_____
_____
_____
_____
_____
_____
_____
_____
_____

December 2022

SUNDAY	MONDAY	TUESDAY	WEDNESDAY	THURSDAY
○	○	○	○	1
4	5	6	7	8
11	12	13	14	15
18	19	20	21	22
25	26	27	28	29

2022

FRIDAY	SATURDAY
2	3
9	10
16	17
23	24
30	31

December

SU	MO	TU	WE	TH	FR	SA
				1	2	3
4	5	6	7	8	9	10
11	12	13	14	15	16	17
18	19	20	21	22	23	24
25	26	27	28	29	30	31

Goals / To Do

○ _____
○ _____
○ _____
○ _____
○ _____
○ _____
○ _____
○ _____
○ _____
○ _____
○ _____

Notes

_____
_____
_____
_____
_____
_____
_____
_____
_____
_____

NOTES

NOTES

2023 Calendar

January

S	M	T	W	T	F	S
1	2	3	4	5	6	7
8	9	10	11	12	13	14
15	16	17	18	19	20	21
22	23	24	25	26	27	28
29	30	31				

February

S	M	T	W	T	F	S
			1	2	3	4
5	6	7	8	9	10	11
12	13	14	15	16	17	18
19	20	21	22	23	24	25
26	27	28				

March

S	M	T	W	T	F	S
			1	2	3	4
5	6	7	8	9	10	11
12	13	14	15	16	17	18
19	20	21	22	23	24	25
26	27	28	29	30	31	

April

S	M	T	W	T	F	S
						1
2	3	4	5	6	7	8
9	10	11	12	13	14	15
16	17	18	19	20	21	22
23	24	25	26	27	28	29
30						

May

S	M	T	W	T	F	S
	1	2	3	4	5	6
7	8	9	10	11	12	13
14	15	16	17	18	19	20
21	22	23	24	25	26	27
28	29	30	31			

June

S	M	T	W	T	F	S
				1	2	3
4	5	6	7	8	9	10
11	12	13	14	15	16	17
18	19	20	21	22	23	24
25	26	27	28	29	30	

July

S	M	T	W	T	F	S
						1
2	3	4	5	6	7	8
9	10	11	12	13	14	15
16	17	18	19	20	21	22
23	24	25	26	27	28	29
30	31					

August

S	M	T	W	T	F	S
		1	2	3	4	5
6	7	8	9	10	11	12
13	14	15	16	17	18	19
20	21	22	23	24	25	26
27	28	29	30	31		

September

S	M	T	W	T	F	S
					1	2
3	4	5	6	7	8	9
10	11	12	13	14	15	16
17	18	19	20	21	22	23
24	25	26	27	28	29	30

October

S	M	T	W	T	F	S
1	2	3	4	5	6	7
8	9	10	11	12	13	14
15	16	17	18	19	20	21
22	23	24	25	26	27	28
29	30	31				

November

S	M	T	W	T	F	S
			1	2	3	4
5	6	7	8	9	10	11
12	13	14	15	16	17	18
19	20	21	22	23	24	25
26	27	28	29	30		

December

S	M	T	W	T	F	S
					1	2
3	4	5	6	7	8	9
10	11	12	13	14	15	16
17	18	19	20	21	22	23
24	25	26	27	28	29	30
31						

Important Dates

January
_____
_____
_____
_____
_____

February
_____
_____
_____
_____
_____

March
_____
_____
_____
_____
_____

April
_____
_____
_____
_____
_____

May
_____
_____
_____
_____
_____

June
_____
_____
_____
_____
_____

July
_____
_____
_____
_____
_____

August
_____
_____
_____
_____
_____

September
_____
_____
_____
_____
_____

October
_____
_____
_____
_____
_____

November
_____
_____
_____
_____
_____

December
_____
_____
_____
_____
_____

★ ★ ★ ★ Birthdays ★ ★ ★ ★

January	February	March
April	**May**	**June**
July	**August**	**September**
October	**November**	**December**

2023 Projects / Goals / Notes

January 2023

SUNDAY	MONDAY	TUESDAY	WEDNESDAY	THURSDAY
1	2	3	4	5
8	9	10	11	12
15	16	17	18	19
22	23	24	25	26
29	30	31		

2023

January

SU	MO	TU	WE	TH	FR	SA
1	2	3	4	5	6	7
8	9	10	11	12	13	14
15	16	17	18	19	20	21
22	23	24	25	26	27	28
29	30	31				

FRIDAY	SATURDAY
6	7
13	14
20	21
27	28
◯	◯

Goals / To Do

○ _____
○ _____
○ _____
○ _____
○ _____
○ _____
○ _____
○ _____
○ _____
○ _____
○ _____

Notes

_____
_____
_____
_____
_____
_____
_____
_____
_____
_____

February 2023

SUNDAY	MONDAY	TUESDAY	WEDNESDAY	THURSDAY
			1	2
5	6	7	8	9
12	13	14	15	16
19	20	21	22	23
26	27	28		

2023

	SU	MO	TU	WE	TH	FR	SA
				1	2	3	4
	5	6	7	8	9	10	11
	12	13	14	15	16	17	18
	19	20	21	22	23	24	25
	26	27	28				

FRIDAY	SATURDAY
3	4
10	11
17	18
24	25
◯	◯

Goals / To Do

◯ _____

◯ _____

◯ _____

◯ _____

◯ _____

◯ _____

◯ _____

◯ _____

◯ _____

◯ _____

◯ _____

Notes

_____
_____
_____
_____
_____
_____
_____
_____
_____
_____

March 2023

SUNDAY	MONDAY	TUESDAY	WEDNESDAY	THURSDAY
◯	◯	◯	1	2
5	6	7	8	9
12	13	14	15	16
19	20	21	22	23
26	27	28	29	30

2023

SU	MO	TU	WE	TH	FR	SA
			1	2	3	4
5	6	7	8	9	10	11
12	13	14	15	16	17	18
19	20	21	22	23	24	25
26	27	28	29	30	31	

FRIDAY	SATURDAY
3	4
10	11
17	18
24	25
31	◯

Goals / To Do

◯ _____
◯ _____
◯ _____
◯ _____
◯ _____
◯ _____
◯ _____
◯ _____
◯ _____
◯ _____
◯ _____

Notes

_____
_____
_____
_____
_____
_____
_____
_____
_____
_____

April 2023

SUNDAY	MONDAY	TUESDAY	WEDNESDAY	THURSDAY
30	◯	◯	◯	◯
2	3	4	5	6
9	10	11	12	13
16	17	18	19	20
23	24	25	26	27

2023

SU	MO	TU	WE	TH	FR	SA
						1
2	3	4	5	6	7	8
9	10	11	12	13	14	15
16	17	18	19	20	21	22
23	24	25	26	27	28	29
30						

FRIDAY	SATURDAY
○	1
7	8
14	15
21	22
28	29

Goals / To Do

○ _____
○ _____
○ _____
○ _____
○ _____
○ _____
○ _____
○ _____
○ _____
○ _____
○ _____

Notes

_____
_____
_____
_____
_____
_____
_____
_____
_____
_____

May 2023

SUNDAY	MONDAY	TUESDAY	WEDNESDAY	THURSDAY
	1	2	3	4
7	8	9	10	11
14	15	16	17	18
21	22	23	24	25
28	29	30	31	

2023

FRIDAY	SATURDAY
(5)	(6)
(12)	(13)
(19)	(20)
(26)	(27)
◯	◯

SU	MO	TU	WE	TH	FR	SA
	1	2	3	4	5	6
7	8	9	10	11	12	13
14	15	16	17	18	19	20
21	22	23	24	25	26	27
28	29	30	31			

Goals / To Do

- ◯ _____
- ◯ _____
- ◯ _____
- ◯ _____
- ◯ _____
- ◯ _____
- ◯ _____
- ◯ _____
- ◯ _____
- ◯ _____
- ◯ _____

Notes

_____
_____
_____
_____
_____
_____
_____
_____
_____
_____
_____

June 2023

SUNDAY	MONDAY	TUESDAY	WEDNESDAY	THURSDAY
				1
4	5	6	7	8
11	12	13	14	15
18	19	20	21	22
25	26	27	28	29

2023

FRIDAY	SATURDAY
2	3
9	10
16	17
23	24
30	◯

June

SU	MO	TU	WE	TH	FR	SA
				1	2	3
4	5	6	7	8	9	10
11	12	13	14	15	16	17
18	19	20	21	22	23	24
25	26	27	28	29	30	

Goals / To Do

○ _____
○ _____
○ _____
○ _____
○ _____
○ _____
○ _____
○ _____
○ _____
○ _____
○ _____

Notes

_____
_____
_____
_____
_____
_____
_____
_____
_____

July 2023

SUNDAY	MONDAY	TUESDAY	WEDNESDAY	THURSDAY
30	31	◯	◯	◯
2	3	4	5	6
9	10	11	12	13
16	17	18	19	20
23	24	25	26	27

2023

FRIDAY	SATURDAY
◯	1
7	8
14	15
21	22
28	29

July

SU	MO	TU	WE	TH	FR	SA
						1
2	3	4	5	6	7	8
9	10	11	12	13	14	15
16	17	18	19	20	21	22
23	24	25	26	27	28	29
30	31					

Goals / To Do

◯ _____
◯ _____
◯ _____
◯ _____
◯ _____
◯ _____
◯ _____
◯ _____
◯ _____
◯ _____
◯ _____

Notes

_____
_____
_____
_____
_____
_____
_____
_____
_____
_____
_____

August 2023

SUNDAY	MONDAY	TUESDAY	WEDNESDAY	THURSDAY
○	○	1	2	3
6	7	8	9	10
13	14	15	16	17
20	21	22	23	24
27	28	29	30	31

2023

SU	MO	TU	WE	TH	FR	SA
		1	2	3	4	5
6	7	8	9	10	11	12
13	14	15	16	17	18	19
20	21	22	23	24	25	26
27	28	29	30	31		

FRIDAY	SATURDAY
4	5
11	12
18	19
25	26
◯	◯

Goals / To Do

- ◯ _____
- ◯ _____
- ◯ _____
- ◯ _____
- ◯ _____
- ◯ _____
- ◯ _____
- ◯ _____
- ◯ _____
- ◯ _____
- ◯ _____

Notes

_____
_____
_____
_____
_____
_____
_____
_____
_____
_____
_____

September 2023

SUNDAY	MONDAY	TUESDAY	WEDNESDAY	THURSDAY
○	○	○	○	○
3	4	5	6	7
10	11	12	13	14
17	18	19	20	21
24	25	26	27	28

2023

September

	FRIDAY	SATURDAY
	1	2
	8	9
	15	16
	22	23
	29	30

SU	MO	TU	WE	TH	FR	SA
					1	2
3	4	5	6	7	8	9
10	11	12	13	14	15	16
17	18	19	20	21	22	23
24	25	26	27	28	29	30

Goals / To Do

○ _____
○ _____
○ _____
○ _____
○ _____
○ _____
○ _____
○ _____
○ _____
○ _____
○ _____

Notes

_____
_____
_____
_____
_____
_____
_____
_____
_____
_____

October 2023

SUNDAY	MONDAY	TUESDAY	WEDNESDAY	THURSDAY
1	2	3	4	5
8	9	10	11	12
15	16	17	18	19
22	23	24	25	26
29	30	31		

2023

	FRIDAY	SATURDAY
	(6)	(7)
	(13)	(14)
	(20)	(21)
	(27)	(28)
	( )	( )

SU	MO	TU	WE	TH	FR	SA
1	2	3	4	5	6	7
8	9	10	11	12	13	14
15	16	17	18	19	20	21
22	23	24	25	26	27	28
29	30	31				

Goals / To Do

○ _____
○ _____
○ _____
○ _____
○ _____
○ _____
○ _____
○ _____
○ _____
○ _____
○ _____

Notes

_____
_____
_____
_____
_____
_____
_____
_____
_____
_____

November 2023

SUNDAY	MONDAY	TUESDAY	WEDNESDAY	THURSDAY
○	○	○	1	2
5	6	7	8	9
12	13	14	15	16
19	20	21	22	23
26	27	28	29	30

2023

SU	MO	TU	WE	TH	FR	SA
			1	2	3	4
5	6	7	8	9	10	11
12	13	14	15	16	17	18
19	20	21	22	23	24	25
26	27	28	29	30		

FRIDAY	SATURDAY
3	4
10	11
17	18
24	25
◯	◯

Goals / To Do

◯ _____
◯ _____
◯ _____
◯ _____
◯ _____
◯ _____
◯ _____
◯ _____
◯ _____
◯ _____
◯ _____

Notes

_____
_____
_____
_____
_____
_____
_____
_____
_____
_____

December 2023

SUNDAY	MONDAY	TUESDAY	WEDNESDAY	THURSDAY
31	○	○	○	○
3	4	5	6	7
10	11	12	13	14
17	18	19	20	21
24	25	26	27	28

2023

FRIDAY	SATURDAY
1	2
8	9
15	16
22	23
29	30

December

SU	MO	TU	WE	TH	FR	SA
					1	2
3	4	5	6	7	8	9
10	11	12	13	14	15	16
17	18	19	20	21	22	23
24	25	26	27	28	29	30
31						

Goals / To Do

○ _____
○ _____
○ _____
○ _____
○ _____
○ _____
○ _____
○ _____
○ _____
○ _____
○ _____

Notes

_____
_____
_____
_____
_____
_____
_____
_____
_____
_____

NOTES

NOTES

2024 Calendar

January
S	M	T	W	T	F	S
	1	2	3	4	5	6
7	8	9	10	11	12	13
14	15	16	17	18	19	20
21	22	23	24	25	26	27
28	29	30	31			

February
S	M	T	W	T	F	S
				1	2	3
4	5	6	7	8	9	10
11	12	13	14	15	16	17
18	19	20	21	22	23	24
25	26	27	28	29		

March
S	M	T	W	T	F	S
					1	2
3	4	5	6	7	8	9
10	11	12	13	14	15	16
17	18	19	20	21	22	23
24	25	26	27	28	29	30
31						

April
S	M	T	W	T	F	S
	1	2	3	4	5	6
7	8	9	10	11	12	13
14	15	16	17	18	19	20
21	22	23	24	25	26	27
28	29	30				

May
S	M	T	W	T	F	S
			1	2	3	4
5	6	7	8	9	10	11
12	13	14	15	16	17	18
19	20	21	22	23	24	25
26	27	28	29	30	31	

June
S	M	T	W	T	F	S
						1
2	3	4	5	6	7	8
9	10	11	12	13	14	15
16	17	18	19	20	21	22
23	24	25	26	27	28	29
30						

July
S	M	T	W	T	F	S
	1	2	3	4	5	6
7	8	9	10	11	12	13
14	15	16	17	18	19	20
21	22	23	24	25	26	27
28	29	30	31			

August
S	M	T	W	T	F	S
				1	2	3
4	5	6	7	8	9	10
11	12	13	14	15	16	17
18	19	20	21	22	23	24
25	26	27	28	29	30	31

September
S	M	T	W	T	F	S
1	2	3	4	5	6	7
8	9	10	11	12	13	14
15	16	17	18	19	20	21
22	23	24	25	26	27	28
29	30					

October
S	M	T	W	T	F	S
		1	2	3	4	5
6	7	8	9	10	11	12
13	14	15	16	17	18	19
20	21	22	23	24	25	26
27	28	29	30	31		

November
S	M	T	W	T	F	S
					1	2
3	4	5	6	7	8	9
10	11	12	13	14	15	16
17	18	19	20	21	22	23
24	25	26	27	28	29	30

December
S	M	T	W	T	F	S
1	2	3	4	5	6	7
8	9	10	11	12	13	14
15	16	17	18	19	20	21
22	23	24	25	26	27	28
29	30	31				

Important Dates

January
_____
_____
_____
_____
_____

February
_____
_____
_____
_____
_____

March
_____
_____
_____
_____
_____

April
_____
_____
_____
_____
_____

May
_____
_____
_____
_____
_____

June
_____
_____
_____
_____
_____

July
_____
_____
_____
_____
_____

August
_____
_____
_____
_____
_____

September
_____
_____
_____
_____
_____

October
_____
_____
_____
_____
_____

November
_____
_____
_____
_____
_____

December
_____
_____
_____
_____
_____

★ ★ ★ ★ *Birthdays* ★ ★ ★ ★ ★

January	February	March
April	May	June
July	August	September
October	November	December

2024 Projects / Goals / Notes

January 2024

SUNDAY	MONDAY	TUESDAY	WEDNESDAY	THURSDAY
◯	1	2	3	4
7	8	9	10	11
14	15	16	17	18
21	22	23	24	25
28	29	30	31	◯

2024

FRIDAY	SATURDAY
(5)	(6)
(12)	(13)
(19)	(20)
(26)	(27)
◯	◯

SU	MO	TU	WE	TH	FR	SA
	1	2	3	4	5	6
7	8	9	10	11	12	13
14	15	16	17	18	19	20
21	22	23	24	25	26	27
28	29	30	31			

Goals / To Do

◯ _____
◯ _____
◯ _____
◯ _____
◯ _____
◯ _____
◯ _____
◯ _____
◯ _____
◯ _____
◯ _____

Notes

_____
_____
_____
_____
_____
_____
_____
_____
_____
_____

February 2024

SUNDAY	MONDAY	TUESDAY	WEDNESDAY	THURSDAY
◯	◯	◯	◯	1
4	5	6	7	8
11	12	13	14	15
18	19	20	21	22
25	26	27	28	29

2024

February

SU	MO	TU	WE	TH	FR	SA
				1	2	3
4	5	6	7	8	9	10
11	12	13	14	15	16	17
18	19	20	21	22	23	24
25	26	27	28	29		

FRIDAY	SATURDAY
2	3
9	10
16	17
23	24
○	○

Goals / To Do

○ _____
○ _____
○ _____
○ _____
○ _____
○ _____
○ _____
○ _____
○ _____
○ _____
○ _____

Notes

_____
_____
_____
_____
_____
_____
_____
_____
_____
_____

March 2024

SUNDAY	MONDAY	TUESDAY	WEDNESDAY	THURSDAY
31	○	○	○	○
3	4	5	6	7
10	11	12	13	14
17	18	19	20	21
24	25	26	27	28

2024

FRIDAY	SATURDAY
1	2
8	9
15	16
22	23
29	30

SU	MO	TU	WE	TH	FR	SA
					1	2
3	4	5	6	7	8	9
10	11	12	13	14	15	16
17	18	19	20	21	22	23
24	25	26	27	28	29	30
31						

Goals / To Do

○ _____
○ _____
○ _____
○ _____
○ _____
○ _____
○ _____
○ _____
○ _____
○ _____
○ _____

Notes

_____
_____
_____
_____
_____
_____
_____
_____
_____

April 2024

SUNDAY	MONDAY	TUESDAY	WEDNESDAY	THURSDAY
◯	1	2	3	4
7	8	9	10	11
14	15	16	17	18
21	22	23	24	25
28	29	30	◯	◯

2024

	SU	MO	TU	WE	TH	FR	SA
		1	2	3	4	5	6
	7	8	9	10	11	12	13
	14	15	16	17	18	19	20
	21	22	23	24	25	26	27
	28	29	30				

FRIDAY	SATURDAY
5	6
12	13
19	20
26	27
◯	◯

Goals / To Do

- ◯ _____
- ◯ _____
- ◯ _____
- ◯ _____
- ◯ _____
- ◯ _____
- ◯ _____
- ◯ _____
- ◯ _____
- ◯ _____
- ◯ _____

Notes

_____
_____
_____
_____
_____
_____
_____
_____
_____
_____

May 2024

SUNDAY	MONDAY	TUESDAY	WEDNESDAY	THURSDAY
◯	◯	◯	1	2
5	6	7	8	9
12	13	14	15	16
19	20	21	22	23
26	27	28	29	30

2024

May

SU	MO	TU	WE	TH	FR	SA
			1	2	3	4
5	6	7	8	9	10	11
12	13	14	15	16	17	18
19	20	21	22	23	24	25
26	27	28	29	30	31	

FRIDAY	SATURDAY
3	4
10	11
17	18
24	25
31	○

Goals / To Do

○ _____
○ _____
○ _____
○ _____
○ _____
○ _____
○ _____
○ _____
○ _____
○ _____
○ _____

Notes

_____
_____
_____
_____
_____
_____
_____
_____
_____
_____

June 2024

SUNDAY	MONDAY	TUESDAY	WEDNESDAY	THURSDAY
30	○	○	○	○
2	3	4	5	6
9	10	11	12	13
16	17	18	19	20
23	24	25	26	27

2024

FRIDAY	SATURDAY
○	①
⑦	⑧
⑭	⑮
㉑	㉒
㉘	㉙

June

SU	MO	TU	WE	TH	FR	SA
						1
2	3	4	5	6	7	8
9	10	11	12	13	14	15
16	17	18	19	20	21	22
23	24	25	26	27	28	29
30						

Goals / To Do

○ _____
○ _____
○ _____
○ _____
○ _____
○ _____
○ _____
○ _____
○ _____
○ _____
○ _____

Notes

_____
_____
_____
_____
_____
_____
_____
_____
_____
_____

July 2024

SUNDAY	MONDAY	TUESDAY	WEDNESDAY	THURSDAY
◯	1	2	3	4
7	8	9	10	11
14	15	16	17	18
21	22	23	24	25
28	29	30	31	◯

2024

SU	MO	TU	WE	TH	FR	SA
	1	2	3	4	5	6
7	8	9	10	11	12	13
14	15	16	17	18	19	20
21	22	23	24	25	26	27
28	29	30	31			

FRIDAY	SATURDAY
5	6
12	13
19	20
26	27
◯	◯

Goals / To Do

○ _____
○ _____
○ _____
○ _____
○ _____
○ _____
○ _____
○ _____
○ _____
○ _____
○ _____

Notes

_____
_____
_____
_____
_____
_____
_____
_____
_____
_____

August 2024

SUNDAY	MONDAY	TUESDAY	WEDNESDAY	THURSDAY
				1
4	5	6	7	8
11	12	13	14	15
18	19	20	21	22
25	26	27	28	29

2024

FRIDAY	SATURDAY
2	3
9	10
16	17
23	24
30	31

August

SU	MO	TU	WE	TH	FR	SA
				1	2	3
4	5	6	7	8	9	10
11	12	13	14	15	16	17
18	19	20	21	22	23	24
25	26	27	28	29	30	31

Goals / To Do

○ _____
○ _____
○ _____
○ _____
○ _____
○ _____
○ _____
○ _____
○ _____
○ _____
○ _____

Notes

_____
_____
_____
_____
_____
_____
_____
_____
_____
_____

September 2024

SUNDAY	MONDAY	TUESDAY	WEDNESDAY	THURSDAY
1	2	3	4	5
8	9	10	11	12
15	16	17	18	19
22	23	24	25	26
29	30			

2024

SU	MO	TU	WE	TH	FR	SA
1	2	3	4	5	6	7
8	9	10	11	12	13	14
15	16	17	18	19	20	21
22	23	24	25	26	27	28
29	30					

FRIDAY	SATURDAY
6	7
13	14
20	21
27	28
◯	◯

Goals / To Do

◯ _____
◯ _____
◯ _____
◯ _____
◯ _____
◯ _____
◯ _____
◯ _____
◯ _____
◯ _____
◯ _____

Notes

_____
_____
_____
_____
_____
_____
_____
_____
_____
_____

October 2024

SUNDAY	MONDAY	TUESDAY	WEDNESDAY	THURSDAY
◯	◯	1	2	3
6	7	8	9	10
13	14	15	16	17
20	21	22	23	24
27	28	29	30	31

2024

October

FRIDAY	SATURDAY
4	5
11	12
18	19
25	26
○	○

SU	MO	TU	WE	TH	FR	SA
		1	2	3	4	5
6	7	8	9	10	11	12
13	14	15	16	17	18	19
20	21	22	23	24	25	26
27	28	29	30	31		

Goals / To Do

○ _____
○ _____
○ _____
○ _____
○ _____
○ _____
○ _____
○ _____
○ _____
○ _____
○ _____

Notes

_____
_____
_____
_____
_____
_____
_____
_____
_____

November 2024

SUNDAY	MONDAY	TUESDAY	WEDNESDAY	THURSDAY
◯	◯	◯	◯	◯
3	4	5	6	7
10	11	12	13	14
17	18	19	20	21
24	25	26	27	28

2024

	FRIDAY	SATURDAY
	1	2
	8	9
	15	16
	22	23
	29	30

November

SU	MO	TU	WE	TH	FR	SA
					1	2
3	4	5	6	7	8	9
10	11	12	13	14	15	16
17	18	19	20	21	22	23
24	25	26	27	28	29	30

Goals / To Do

○ _____
○ _____
○ _____
○ _____
○ _____
○ _____
○ _____
○ _____
○ _____
○ _____
○ _____

Notes

_____
_____
_____
_____
_____
_____
_____
_____
_____

December 2024

SUNDAY	MONDAY	TUESDAY	WEDNESDAY	THURSDAY
1	2	3	4	5
8	9	10	11	12
15	16	17	18	19
22	23	24	25	26
29	30	31		

2024

December

SU	MO	TU	WE	TH	FR	SA
1	2	3	4	5	6	7
8	9	10	11	12	13	14
15	16	17	18	19	20	21
22	23	24	25	26	27	28
29	30	31				

FRIDAY	SATURDAY
6	7
13	14
20	21
27	28
◯	◯

Goals / To Do

○ _____
○ _____
○ _____
○ _____
○ _____
○ _____
○ _____
○ _____
○ _____
○ _____
○ _____

Notes

_____
_____
_____
_____
_____
_____
_____
_____
_____
_____
_____

NOTES

NOTES

2025 Calendar

January

S	M	T	W	T	F	S
			1	2	3	4
5	6	7	8	9	10	11
12	13	14	15	16	17	18
19	20	21	22	23	24	25
26	27	28	29	30	31	

February

S	M	T	W	T	F	S
						1
2	3	4	5	6	7	8
9	10	11	12	13	14	15
16	17	18	19	20	21	22
23	24	25	26	27	28	

March

S	M	T	W	T	F	S
						1
2	3	4	5	6	7	8
9	10	11	12	13	14	15
16	17	18	19	20	21	22
23	24	25	26	27	28	29
30	31					

April

S	M	T	W	T	F	S
		1	2	3	4	5
6	7	8	9	10	11	12
13	14	15	16	17	18	19
20	21	22	23	24	25	26
27	28	29	30			

May

S	M	T	W	T	F	S
				1	2	3
4	5	6	7	8	9	10
11	12	13	14	15	16	17
18	19	20	21	22	23	24
25	26	27	28	29	30	31

June

S	M	T	W	T	F	S
1	2	3	4	5	6	7
8	9	10	11	12	13	14
15	16	17	18	19	20	21
22	23	24	25	26	27	28
29	30					

July

S	M	T	W	T	F	S
		1	2	3	4	5
6	7	8	9	10	11	12
13	14	15	16	17	18	19
20	21	22	23	24	25	26
27	28	29	30	31		

August

S	M	T	W	T	F	S
					1	2
3	4	5	6	7	8	9
10	11	12	13	14	15	16
17	18	19	20	21	22	23
24	25	26	27	28	29	30
31						

September

S	M	T	W	T	F	S
	1	2	3	4	5	6
7	8	9	10	11	12	13
14	15	16	17	18	19	20
21	22	23	24	25	26	27
28	29	30				

October

S	M	T	W	T	F	S
			1	2	3	4
5	6	7	8	9	10	11
12	13	14	15	16	17	18
19	20	21	22	23	24	25
26	27	28	29	30	31	

November

S	M	T	W	T	F	S
						1
2	3	4	5	6	7	8
9	10	11	12	13	14	15
16	17	18	19	20	21	22
23	24	25	26	27	28	29
30						

December

S	M	T	W	T	F	S
	1	2	3	4	5	6
7	8	9	10	11	12	13
14	15	16	17	18	19	20
21	22	23	24	25	26	27
28	29	30	31			

Important Dates

January
_____
_____
_____
_____
_____

February
_____
_____
_____
_____
_____

March
_____
_____
_____
_____
_____

April
_____
_____
_____
_____
_____

May
_____
_____
_____
_____
_____

June
_____
_____
_____
_____
_____

July
_____
_____
_____
_____
_____

August
_____
_____
_____
_____
_____

September
_____
_____
_____
_____
_____

October
_____
_____
_____
_____
_____

November
_____
_____
_____
_____
_____

December
_____
_____
_____
_____
_____

★ Birthdays ★

January	February	March
April	May	June
July	August	September
October	November	December

2025 Projects / Goals / Notes

January 2025

SUNDAY	MONDAY	TUESDAY	WEDNESDAY	THURSDAY
◯	◯	◯	1	2
5	6	7	8	9
12	13	14	15	16
19	20	21	22	23
26	27	28	29	30

2025

FRIDAY	SATURDAY
③ 3	④ 4
⑩ 10	⑪ 11
⑰ 17	⑱ 18
㉔ 24	㉕ 25
㉛ 31	○

SU	MO	TU	WE	TH	FR	SA
			1	2	3	4
5	6	7	8	9	10	11
12	13	14	15	16	17	18
19	20	21	22	23	24	25
26	27	28	29	30	31	

Goals / To Do

○ _____
○ _____
○ _____
○ _____
○ _____
○ _____
○ _____
○ _____
○ _____
○ _____
○ _____

Notes

_____
_____
_____
_____
_____
_____
_____
_____
_____
_____

February 2025

SUNDAY	MONDAY	TUESDAY	WEDNESDAY	THURSDAY
◯	◯	◯	◯	◯
2	3	4	5	6
9	10	11	12	13
16	17	18	19	20
23	24	25	26	27

2025

FRIDAY	SATURDAY
◯	①
⑦	⑧
⑭	⑮
㉑	㉒
㉘	◯

February

Goals / To Do

◯ _____
◯ _____
◯ _____
◯ _____
◯ _____
◯ _____
◯ _____
◯ _____
◯ _____
◯ _____
◯ _____

Notes

_____
_____
_____
_____
_____
_____
_____
_____
_____
_____

March 2025

SUNDAY	MONDAY	TUESDAY	WEDNESDAY	THURSDAY
30	31	◯	◯	◯
2	3	4	5	6
9	10	11	12	13
16	17	18	19	20
23	24	25	26	27

2025

FRIDAY	SATURDAY
◯	①
⑦	⑧
⑭	⑮
㉑	㉒
㉘	㉙

March

SU	MO	TU	WE	TH	FR	SA
						1
2	3	4	5	6	7	8
9	10	11	12	13	14	15
16	17	18	19	20	21	22
23	24	25	26	27	28	29
30	31					

Goals / To Do

◯ _____
◯ _____
◯ _____
◯ _____
◯ _____
◯ _____
◯ _____
◯ _____
◯ _____
◯ _____

Notes

_____
_____
_____
_____
_____
_____
_____
_____
_____

April 2025

SUNDAY	MONDAY	TUESDAY	WEDNESDAY	THURSDAY
◯	◯	1	2	3
6	7	8	9	10
13	14	15	16	17
20	21	22	23	24
27	28	29	30	◯

2025

April

SU	MO	TU	WE	TH	FR	SA
		1	2	3	4	5
6	7	8	9	10	11	12
13	14	15	16	17	18	19
20	21	22	23	24	25	26
27	28	29	30			

FRIDAY	SATURDAY
4	5
11	12
18	19
25	26
◯	◯

Goals / To Do

○ _____
○ _____
○ _____
○ _____
○ _____
○ _____
○ _____
○ _____
○ _____
○ _____
○ _____

Notes

_____
_____
_____
_____
_____
_____
_____
_____
_____
_____

May 2025

SUNDAY	MONDAY	TUESDAY	WEDNESDAY	THURSDAY
◯	◯	◯	◯	1
4	5	6	7	8
11	12	13	14	15
18	19	20	21	22
25	26	27	28	29

2025

May

SU	MO	TU	WE	TH	FR	SA
				1	2	3
4	5	6	7	8	9	10
11	12	13	14	15	16	17
18	19	20	21	22	23	24
25	26	27	28	29	30	31

FRIDAY	SATURDAY
2	3
9	10
16	17
23	24
30	31

Goals / To Do

○ _____
○ _____
○ _____
○ _____
○ _____
○ _____
○ _____
○ _____
○ _____
○ _____
○ _____

Notes

_____
_____
_____
_____
_____
_____
_____
_____
_____
_____

June 2025

SUNDAY	MONDAY	TUESDAY	WEDNESDAY	THURSDAY
1	2	3	4	5
8	9	10	11	12
15	16	17	18	19
22	23	24	25	26
29	30			

2025

SU	MO	TU	WE	TH	FR	SA
1	2	3	4	5	6	7
8	9	10	11	12	13	14
15	16	17	18	19	20	21
22	23	24	25	26	27	28
29	30					

FRIDAY	SATURDAY
6	7
13	14
20	21
27	28
◯	◯

Goals / To Do

- ◯ _____
- ◯ _____
- ◯ _____
- ◯ _____
- ◯ _____
- ◯ _____
- ◯ _____
- ◯ _____
- ◯ _____
- ◯ _____
- ◯ _____

Notes

_____
_____
_____
_____
_____
_____
_____
_____
_____
_____
_____

July 2025

SUNDAY	MONDAY	TUESDAY	WEDNESDAY	THURSDAY
○	○	1	2	3
6	7	8	9	10
13	14	15	16	17
20	21	22	23	24
27	28	29	30	31

2025

FRIDAY	SATURDAY
④ 4	⑤ 5
⑪ 11	⑫ 12
⑱ 18	⑲ 19
25	26
○	○

July

SU	MO	TU	WE	TH	FR	SA
		1	2	3	4	5
6	7	8	9	10	11	12
13	14	15	16	17	18	19
20	21	22	23	24	25	26
27	28	29	30	31		

Goals / To Do

○ _____
○ _____
○ _____
○ _____
○ _____
○ _____
○ _____
○ _____
○ _____
○ _____
○ _____

Notes

_____
_____
_____
_____
_____
_____
_____
_____
_____

August 2025

SUNDAY	MONDAY	TUESDAY	WEDNESDAY	THURSDAY
31	◯	◯	◯	◯
3	4	5	6	7
10	11	12	13	14
17	18	19	20	21
24	25	26	27	28

2025

FRIDAY	SATURDAY
1	2
8	9
15	16
22	23
29	30

August

SU	MO	TU	WE	TH	FR	SA
					1	2
3	4	5	6	7	8	9
10	11	12	13	14	15	16
17	18	19	20	21	22	23
24	25	26	27	28	29	30
31						

Goals / To Do

- ○ _____
- ○ _____
- ○ _____
- ○ _____
- ○ _____
- ○ _____
- ○ _____
- ○ _____
- ○ _____
- ○ _____
- ○ _____

Notes

_____
_____
_____
_____
_____
_____
_____
_____
_____

September 2025

SUNDAY	MONDAY	TUESDAY	WEDNESDAY	THURSDAY
	1	2	3	4
7	8	9	10	11
14	15	16	17	18
21	22	23	24	25
28	29	30		

2025

September

SU	MO	TU	WE	TH	FR	SA
	1	2	3	4	5	6
7	8	9	10	11	12	13
14	15	16	17	18	19	20
21	22	23	24	25	26	27
28	29	30				

FRIDAY	SATURDAY
5	6
12	13
19	20
26	27
◯	◯

Goals / To Do

◯ _____
◯ _____
◯ _____
◯ _____
◯ _____
◯ _____
◯ _____
◯ _____
◯ _____
◯ _____
◯ _____

Notes

_____
_____
_____
_____
_____
_____
_____
_____
_____
_____

October 2025

SUNDAY	MONDAY	TUESDAY	WEDNESDAY	THURSDAY
○	○	○	1	2
5	6	7	8	9
12	13	14	15	16
19	20	21	22	23
26	27	28	29	30

2025

	SU	MO	TU	WE	TH	FR	SA
				1	2	3	4
	5	6	7	8	9	10	11
	12	13	14	15	16	17	18
	19	20	21	22	23	24	25
	26	27	28	29	30	31	

FRIDAY	SATURDAY
3	4
10	11
17	18
24	25
31	

Goals / To Do

○ _____
○ _____
○ _____
○ _____
○ _____
○ _____
○ _____
○ _____
○ _____
○ _____
○ _____

Notes

_____
_____
_____
_____
_____
_____
_____
_____
_____
_____
_____

November 2025

SUNDAY	MONDAY	TUESDAY	WEDNESDAY	THURSDAY
30				
2	3	4	5	6
9	10	11	12	13
16	17	18	19	20
23	24	25	26	27

2025

November

FRIDAY	SATURDAY
⃝	① 1
⑦ 7	⑧ 8
⑭ 14	⑮ 15
㉑ 21	㉒ 22
㉘ 28	㉙ 29

SU	MO	TU	WE	TH	FR	SA
						1
2	3	4	5	6	7	8
9	10	11	12	13	14	15
16	17	18	19	20	21	22
23	24	25	26	27	28	29
30						

Goals / To Do

○ _____
○ _____
○ _____
○ _____
○ _____
○ _____
○ _____
○ _____
○ _____
○ _____
○ _____

Notes

_____
_____
_____
_____
_____
_____
_____
_____

December 2025

SUNDAY	MONDAY	TUESDAY	WEDNESDAY	THURSDAY
◯	1	2	3	4
7	8	9	10	11
14	15	16	17	18
21	22	23	24	25
28	29	30	31	◯

2025

December

SU	MO	TU	WE	TH	FR	SA
	1	2	3	4	5	6
7	8	9	10	11	12	13
14	15	16	17	18	19	20
21	22	23	24	25	26	27
28	29	30	31			

FRIDAY	SATURDAY
⑤	⑥
⑫	⑬
⑲	⑳
㉖	㉗
◯	◯

Goals / To Do

- ◯ _____
- ◯ _____
- ◯ _____
- ◯ _____
- ◯ _____
- ◯ _____
- ◯ _____
- ◯ _____
- ◯ _____
- ◯ _____
- ◯ _____

Notes

_____
_____
_____
_____
_____
_____
_____
_____
_____
_____

NOTES

NOTES

2026 Calendar

January

S	M	T	W	T	F	S
				1	2	3
4	5	6	7	8	9	10
11	12	13	14	15	16	17
18	19	20	21	22	23	24
25	26	27	28	29	30	31

February

S	M	T	W	T	F	S
1	2	3	4	5	6	7
8	9	10	11	12	13	14
15	16	17	18	19	20	21
22	23	24	25	26	27	28

March

S	M	T	W	T	F	S
1	2	3	4	5	6	7
8	9	10	11	12	13	14
15	16	17	18	19	20	21
22	23	24	25	26	27	28
29	30	31				

April

S	M	T	W	T	F	S
			1	2	3	4
5	6	7	8	9	10	11
12	13	14	15	16	17	18
19	20	21	22	23	24	25
26	27	28	29	30		

May

S	M	T	W	T	F	S
					1	2
3	4	5	6	7	8	9
10	11	12	13	14	15	16
17	18	19	20	21	22	23
24	25	26	27	28	29	30
31						

June

S	M	T	W	T	F	S
	1	2	3	4	5	6
7	8	9	10	11	12	13
14	15	16	17	18	19	20
21	22	23	24	25	26	27
28	29	30				

July

S	M	T	W	T	F	S
			1	2	3	4
5	6	7	8	9	10	11
12	13	14	15	16	17	18
19	20	21	22	23	24	25
26	27	28	29	30	31	

August

S	M	T	W	T	F	S
						1
2	3	4	5	6	7	8
9	10	11	12	13	14	15
16	17	18	19	20	21	22
23	24	25	26	27	28	29
30	31					

September

S	M	T	W	T	F	S
		1	2	3	4	5
6	7	8	9	10	11	12
13	14	15	16	17	18	19
20	21	22	23	24	25	26
27	28	29	30			

October

S	M	T	W	T	F	S
				1	2	3
4	5	6	7	8	9	10
11	12	13	14	15	16	17
18	19	20	21	22	23	24
25	26	27	28	29	30	31

November

S	M	T	W	T	F	S
1	2	3	4	5	6	7
8	9	10	11	12	13	14
15	16	17	18	19	20	21
22	23	24	25	26	27	28
29	30					

December

S	M	T	W	T	F	S
		1	2	3	4	5
6	7	8	9	10	11	12
13	14	15	16	17	18	19
20	21	22	23	24	25	26
27	28	29	30	31		

Important Dates

January

_____
_____
_____
_____
_____

February

_____
_____
_____
_____
_____

March

_____
_____
_____
_____
_____

April

_____
_____
_____
_____
_____

May

_____
_____
_____
_____
_____

June

_____
_____
_____
_____
_____

July

_____
_____
_____
_____
_____

August

_____
_____
_____
_____
_____

September

_____
_____
_____
_____
_____

October

_____
_____
_____
_____
_____

November

_____
_____
_____
_____
_____

December

_____
_____
_____
_____
_____

★ Birthdays ★

January	February	March
April	May	June
July	August	September
October	November	December

2026 Projects / Goals / Notes

January 2026

SUNDAY	MONDAY	TUESDAY	WEDNESDAY	THURSDAY
○	○	○	○	1
4	5	6	7	8
11	12	13	14	15
18	19	20	21	22
25	26	27	28	29

2026

FRIDAY	SATURDAY
2	3
9	10
16	17
23	24
30	31

January

SU	MO	TU	WE	TH	FR	SA
				1	2	3
4	5	6	7	8	9	10
11	12	13	14	15	16	17
18	19	20	21	22	23	24
25	26	27	28	29	30	31

Goals / To Do

○ _____
○ _____
○ _____
○ _____
○ _____
○ _____
○ _____
○ _____
○ _____
○ _____
○ _____

Notes

_____
_____
_____
_____
_____
_____
_____
_____
_____

February 2026

SUNDAY	MONDAY	TUESDAY	WEDNESDAY	THURSDAY
1	2	3	4	5
8	9	10	11	12
15	16	17	18	19
22	23	24	25	26

2026

	SU	MO	TU	WE	TH	FR	SA
	1	2	3	4	5	6	7
	8	9	10	11	12	13	14
	15	16	17	18	19	20	21
	22	23	24	25	26	27	28

FRIDAY	SATURDAY
6	7
13	14
20	21
27	28
◯	◯

Goals / To Do

◯ _____
◯ _____
◯ _____
◯ _____
◯ _____
◯ _____
◯ _____
◯ _____
◯ _____
◯ _____
◯ _____

Notes

_____
_____
_____
_____
_____
_____
_____
_____
_____
_____
_____

March 2026

SUNDAY	MONDAY	TUESDAY	WEDNESDAY	THURSDAY
1	2	3	4	5
8	9	10	11	12
15	16	17	18	19
22	23	24	25	26
29	30	31		

2026

SU	MO	TU	WE	TH	FR	SA
1	2	3	4	5	6	7
8	9	10	11	12	13	14
15	16	17	18	19	20	21
22	23	24	25	26	27	28
29	30	31				

FRIDAY	SATURDAY
6	7
13	14
20	21
27	28
○	○

Goals / To Do

○ _____
○ _____
○ _____
○ _____
○ _____
○ _____
○ _____
○ _____
○ _____
○ _____
○ _____

Notes

_____
_____
_____
_____
_____
_____
_____
_____
_____

April 2026

SUNDAY	MONDAY	TUESDAY	WEDNESDAY	THURSDAY
			1	2
5	6	7	8	9
12	13	14	15	16
19	20	21	22	23
26	27	28	29	30

2026

FRIDAY	SATURDAY
3	4
10	11
17	18
24	25
◯	◯

SU	MO	TU	WE	TH	FR	SA
			1	2	3	4
5	6	7	8	9	10	11
12	13	14	15	16	17	18
19	20	21	22	23	24	25
26	27	28	29	30		

Goals / To Do

◯ _____
◯ _____
◯ _____
◯ _____
◯ _____
◯ _____
◯ _____
◯ _____
◯ _____
◯ _____
◯ _____

Notes

_____
_____
_____
_____
_____
_____
_____
_____
_____
_____
_____

May 2026

SUNDAY	MONDAY	TUESDAY	WEDNESDAY	THURSDAY
31				
3	4	5	6	7
10	11	12	13	14
17	18	19	20	21
24	25	26	27	28

2026

SU	MO	TU	WE	TH	FR	SA
					1	2
3	4	5	6	7	8	9
10	11	12	13	14	15	16
17	18	19	20	21	22	23
24	25	26	27	28	29	30
31						

FRIDAY	SATURDAY
1	2
8	9
15	16
22	23
29	30

Goals / To Do

○ _____
○ _____
○ _____
○ _____
○ _____
○ _____
○ _____
○ _____
○ _____
○ _____
○ _____

Notes

_____
_____
_____
_____
_____
_____
_____
_____
_____
_____

June 2026

SUNDAY	MONDAY	TUESDAY	WEDNESDAY	THURSDAY
◯	1	2	3	4
7	8	9	10	11
14	15	16	17	18
21	22	23	24	25
28	29	30	◯	◯

2026

SU	MO	TU	WE	TH	FR	SA
	1	2	3	4	5	6
7	8	9	10	11	12	13
14	15	16	17	18	19	20
21	22	23	24	25	26	27
28	29	30				

FRIDAY	SATURDAY
5	6
12	13
19	20
26	27
◯	◯

Goals / To Do

- ◯ _____
- ◯ _____
- ◯ _____
- ◯ _____
- ◯ _____
- ◯ _____
- ◯ _____
- ◯ _____
- ◯ _____
- ◯ _____
- ◯ _____

Notes

_____
_____
_____
_____
_____
_____
_____
_____
_____
_____

July 2026

SUNDAY	MONDAY	TUESDAY	WEDNESDAY	THURSDAY
◯	◯	◯	1	2
5	6	7	8	9
12	13	14	15	16
19	20	21	22	23
26	27	28	29	30

2026

SU	MO	TU	WE	TH	FR	SA
			1	2	3	4
5	6	7	8	9	10	11
12	13	14	15	16	17	18
19	20	21	22	23	24	25
26	27	28	29	30	31	

FRIDAY	SATURDAY
3	4
10	11
17	18
24	25
31	

Goals / To Do

○ _____
○ _____
○ _____
○ _____
○ _____
○ _____
○ _____
○ _____
○ _____
○ _____
○ _____

Notes

_____
_____
_____
_____
_____
_____
_____
_____
_____

August 2026

SUNDAY	MONDAY	TUESDAY	WEDNESDAY	THURSDAY
30	31	○	○	○
2	3	4	5	6
9	10	11	12	13
16	17	18	19	20
23	24	25	26	27

2026

SU	MO	TU	WE	TH	FR	SA
						1
2	3	4	5	6	7	8
9	10	11	12	13	14	15
16	17	18	19	20	21	22
23	24	25	26	27	28	29
30	31					

FRIDAY	SATURDAY
○	1
7	8
14	15
21	22
28	29

Goals / To Do

○ _____
○ _____
○ _____
○ _____
○ _____
○ _____
○ _____
○ _____
○ _____
○ _____
○ _____

Notes

_____
_____
_____
_____
_____
_____
_____
_____
_____
_____
_____

September 2026

SUNDAY	MONDAY	TUESDAY	WEDNESDAY	THURSDAY
◯	◯	1	2	3
6	7	8	9	10
13	14	15	16	17
20	21	22	23	24
27	28	29	30	◯

2026

SU	MO	TU	WE	TH	FR	SA
		1	2	3	4	5
6	7	8	9	10	11	12
13	14	15	16	17	18	19
20	21	22	23	24	25	26
27	28	29	30			

FRIDAY	SATURDAY
4	5
11	12
18	19
25	26
◯	◯

Goals / To Do

◯ _____
◯ _____
◯ _____
◯ _____
◯ _____
◯ _____
◯ _____
◯ _____
◯ _____
◯ _____
◯ _____

Notes

_____
_____
_____
_____
_____
_____
_____
_____
_____

October 2026

SUNDAY	MONDAY	TUESDAY	WEDNESDAY	THURSDAY
◯	◯	◯	◯	1
4	5	6	7	8
11	12	13	14	15
18	19	20	21	22
25	26	27	28	29

2026

FRIDAY	SATURDAY
2	3
9	10
16	17
23	24
30	31

October

SU	MO	TU	WE	TH	FR	SA
				1	2	3
4	5	6	7	8	9	10
11	12	13	14	15	16	17
18	19	20	21	22	23	24
25	26	27	28	29	30	31

Goals / To Do

○ _____
○ _____
○ _____
○ _____
○ _____
○ _____
○ _____
○ _____
○ _____
○ _____
○ _____

Notes

November 2026

SUNDAY	MONDAY	TUESDAY	WEDNESDAY	THURSDAY
1	2	3	4	5
8	9	10	11	12
15	16	17	18	19
22	23	24	25	26
29	30			

2026

FRIDAY	SATURDAY
⑥	⑦
⑬	⑭
⑳	㉑
㉗	㉘
◯	◯

SU	MO	TU	WE	TH	FR	SA
1	2	3	4	5	6	7
8	9	10	11	12	13	14
15	16	17	18	19	20	21
22	23	24	25	26	27	28
29	30					

Goals / To Do

○ _____
○ _____
○ _____
○ _____
○ _____
○ _____
○ _____
○ _____
○ _____
○ _____
○ _____

Notes

_____
_____
_____
_____
_____
_____
_____
_____
_____

December 2026

SUNDAY	MONDAY	TUESDAY	WEDNESDAY	THURSDAY
○	○	1	2	3
6	7	8	9	10
13	14	15	16	17
20	21	22	23	24
27	28	29	30	31

2026

SU	MO	TU	WE	TH	FR	SA
		1	2	3	4	5
6	7	8	9	10	11	12
13	14	15	16	17	18	19
20	21	22	23	24	25	26
27	28	29	30	31		

FRIDAY	SATURDAY
4	5
11	12
18	19
25	26
○	○

Goals / To Do

○ _____
○ _____
○ _____
○ _____
○ _____
○ _____
○ _____
○ _____
○ _____
○ _____
○ _____

Notes

_____
_____
_____
_____
_____
_____
_____
_____
_____
_____

NOTES

NOTES

NOTES

Important Contacts

Name:_____

Address:_____

Phone:_____

Notes:_____

_____

Name:_____

Address:_____

Phone:_____

Notes:_____

_____

Name:_____

Address:_____

Phone:_____

Notes:_____

_____

Name:_____

Address:_____

Phone:_____

Notes:_____

_____

Name:_____

Address:_____

Phone:_____

Notes:_____

_____

Name:_____

Address:_____

Phone:_____

Notes:_____

_____

Name:_____

Address:_____

Phone:_____

Notes:_____

_____

Name:_____

Address:_____

Phone:_____

Notes:_____

_____

Important Contacts

Name:_____   Name:_____

Address:_____   Address:_____

Phone:_____   Phone:_____

Notes:_____   Notes:_____

_____   _____

Name:_____   Name:_____

Address:_____   Address:_____

Phone:_____   Phone:_____

Notes:_____   Notes:_____

_____   _____

Name:_____   Name:_____

Address:_____   Address:_____

Phone:_____   Phone:_____

Notes:_____   Notes:_____

_____   _____

Name:_____   Name:_____

Address:_____   Address:_____

Phone:_____   Phone:_____

Notes:_____   Notes:_____

_____   _____

Name:_____   Name:_____

Address:_____   Address:_____

Phone:_____   Phone:_____

Notes:_____   Notes:_____

_____   _____

Password Log

Website:_____

Username:_____

Password:_____

Notes:_____

_____

Website:_____

Username:_____

Password:_____

Notes:_____

_____

Website:_____

Username:_____

Password:_____

Notes:_____

_____

Website:_____

Username:_____

Password:_____

Notes:_____

_____

Website:_____

Username:_____

Password:_____

Notes:_____

_____

Website:_____

Username:_____

Password:_____

Notes:_____

_____

Website:_____

Username:_____

Password:_____

Notes:_____

_____

Website:_____

Username:_____

Password:_____

Notes:_____

_____

Website:_____

Username:_____

Password:_____

Notes:_____

_____

Website:_____

Username:_____

Password:_____

Notes:_____

_____

Password Log

Website:_____
Username:_____
Password:_____
Notes:_____
_____

Website:_____
Username:_____
Password:_____
Notes:_____
_____

Website:_____
Username:_____
Password:_____
Notes:_____
_____

Website:_____
Username:_____
Password:_____
Notes:_____
_____

Website:_____
Username:_____
Password:_____
Notes:_____
_____

Website:_____
Username:_____
Password:_____
Notes:_____
_____

Website:_____
Username:_____
Password:_____
Notes:_____
_____

Website:_____
Username:_____
Password:_____
Notes:_____
_____

Website:_____
Username:_____
Password:_____
Notes:_____
_____

Website:_____
Username:_____
Password:_____
Notes:_____
_____